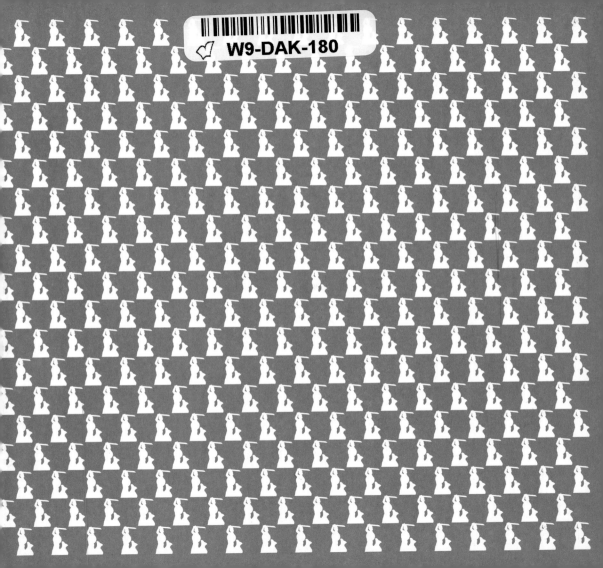

W9-DAK-180

WARSZAWA

ZBURZONA I ODBUDOWANA

WARSAW

DESTROYED AND REBUILT

Warszawa 2006

Warsaw 2006

Tekst: Jarosław Zieliński

Zdjęcia kolorowe: Stanisława i Rafał Jabłońscy

Zdjęcia czarno-białe: L. Sępoliński str: 11, 24, 33, 34, 36, 39, 46, 48-49, 52, 53, 55, 56, 66, 68, 70, 72, 74, 78, 80, 81, 83, 94, 95; A. Funkiewicz str. 2-3, 12; K. Pęcherski str. 50, 58, 71, 87, 88, 90; H. Poddębski str. 54, 82, 86, 92; W. Szczeciński str. 13; M. Szczawik str. 14; S. Kris-Braun str. 18; St. Rossalski str. 19; A. Lipka str. 20; L. Jabrzemski str. 22; St. Stępniewski str. 25; J. Bułchak str. 31; Dąbrowiecki str. 44.

Text: Jarosław Zieliński

Color photographs: Stanisława and Rafał Jabłoński

Black and white photographs: L. Sępoliński p: 11, 24, 33, 34, 36, 39, 46, 48-49, 52, 53, 55, 56, 66, 68, 70, 72, 74, 78, 80, 81, 83, 94, 95; A. Funkiewicz p. 2-3, 12; K. Pęcherski p. 50, 58, 71, 87, 88, 90; H. Poddębski p. 54, 82, 86, 92; W. Szczeciński p. 13; M. Szczawik p. 14; S. Kris-Braun p. 18; St. Rossalski p. 19; A. Lipka p. 20; L. Jabrzemski p. 22; St. Stępniewski p. 25; J. Bułchak p. 31; Dąbrowiecki p. 44.

ISBN 83-909878-7-2

Copyright Wydawnictwo FESTINA, Warszawa tel/fax (22) 842 54 53
www.festina.republika.pl, e-mail:festina@neostrada.pl

Warszawa 2006

WARSZAWA
ZNISZCZONA I ODBUDOWANA

WARSAW
DESTROYED AND REBUILT

W 1944 roku, w centrum Europy przestała istnieć milionowa metropolia, stolica 33-milionowego państwa, jedno z większych miast kontynentu - Warszawa. W chwili zagłady miasto miało za sobą ponad sześć wieków historii, bogatej zarówno w chwile chwały i heroizmu, jak też poniżenia i upadku. Warszawa awansowała kolejno od prowincjonalnego miasteczka, przez stolicę księstwa mazowieckiego, aż do roli stolicy najpotężniejszego mocarstwa Europy środkowo-wschodniej na przełomie XVI i XVII wieku. Późniejsze lata przyniosły liczne wojny i zniszczenia, a w konsekwencji stopniowy upadek znaczenia politycznego. Koniec XVIII wieku był też końcem Pierwszej Rzeczypospolitej, która w wyniku trójstronnych

In 1944, Warsaw, a one-million-strong metropolis in the very heart of Europe and the capital of a nation of 33 million, ceased do exist. At the time of its destruction, the city boasted a more than six-century-long history, marked by moments of both glory and heroism as well as humiliation and decline. Warsaw evolved from a small provincial town into the capital of the Duchy of Masovia, only to become the capital of East-Central Europe's biggest power towards the end of the 16th century. The years that followed brought with them numerous wars, much devastation and, consequently, a gradual decline of the city's political importance. The end of the 18th century coincided with the demise of the First Polish Republic which was

rozbiorów zniknęła z mapy Europy. Lata wojen napoleońskich dały miastu szansę chwilowego odzyskania znaczenia, jako stolicy efemerycznego Księstwa Warszawskiego, a po 1815 roku - miasta stołecznego w Królestwie Polskim, pod berłem rosyjskiego cara.

Następne dziesięciolecia, których rytm wyznaczały kolejne zrywy powstańcze, to okres stopniowej utraty samorządności miasta, wchłanianej przez carską machinę biurokratyczną. Dopiero I Wojna Światowa i chwilowa zmiana oku-

Pożar Zamku Królewskiego w 1939 r.

Warsaw Royal Castle in flames in 1939.

wiped off the map after being partitioned by three neighbouring powers. The Napoleonic era gave the city a temporary reprieve when it became the capital of the ephemeral Duchy of Warsaw. After 1815, it was the capital of a semi-autonomous Kingdom of Poland under the rule of the Russian tsar.

The following decades, marked by successive insurrections, saw the city's local government gradually lose its independence to a proliferating tsarist bureaucracy. It was not until the First World War and a mo-

pacji, z rosyjskiej na niemiecką, dają Warszawie kolejną szansę kształtowania swych losów.

W listopadzie 1918 roku, po klęsce Austro-Węgier i Niemiec oraz uprzednim załamaniu się imperium rosyjskiego, miasto staje się stolicą niepodległego Państwa Polskiego. Już w dwa lata później niepodległości tej trzeba było bronić pod murami stolicy, odrzucając wojska bolszewickie, niosące Europie pożogę rewolucji. Pokojowy rozwój Warszawy trwał niespełna 19 lat. W tym czasie uczyniono niezmiernie dużo, aby przekształcić zniewolone przez zaborcę garnizonowe miasto pograniczne w nowoczesną stolicę jednego z ludniejszych państw europejskich. Z rozmachem kreślono plany nowoczesnych arterii komunikacyjnych, sieci metra, reprezentacyjnych dzielnic i mieszkaniowych osiedli. Wiele z tych planów zdążono zrealizować w niewiarygodnie krótkim czasie, pozostałe zamierzano wprowadzić

mentary shift from Russian to German occupation that gave Warsaw a new chance to shape its own destiny.

Following the defeat of Austro-Hungary and Germany as well as the collapse of the Russian empire, in November 1918 Warsaw again became the capital of an independent state. A mere two years later, that independence had to be defended at the gates of the city against Bolshevik hordes attempting to spread their bloody revolution throughout Europe. Warsaw's peaceful development lasted a scant 19 years. During that period, a great deal was done to transform a border garrison town of occupation forces into the capital of one of Europe's more populous countries. Plans for modern traffic arteries, an underground, elegant residential quarters and housing estates were drafted. Many of these projects were completed in record time, whilst the remainder were due to be implemented in the

w czyn w latach czterdziestych. Wystawa "Warszawa - jaka będzie" kreś-

1940s. The exhibition "Warsaw as it will be" projected a vision of a bea-

Rozkaz Hitlera zniszczenia Warszawy z 11 października 1944 r.

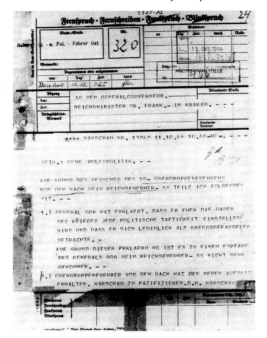

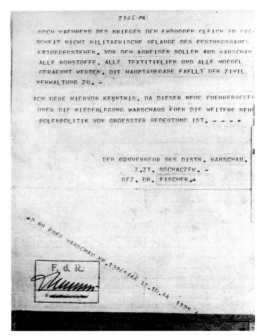

Hitler's order to level Warsaw to the ground of 11 October 1944.

liła wizję pięknego miasta najbliższej przyszłości.

utiful city of the not-too-distant future. The country's cultural centre, War-

Stolica była ówcześnie centrum kulturalnym kraju, skupiając najwartościowsze kadry naukowców, artystów i twórców. Muzea i galerie gromadziły najcenniejsze w skali ogólnopolskiej zbiory. Prowadzono tu najbardziej zaawansowane badania naukowe, uruchomiono m.in. doświadczalną stację telewizyjną, eksperymentowano z silnikiem odrzutowym i opracowywano teoretyczne podstawy techniki radarowej. W Instytucie Radowym, ufundowanym przez Marię Skłodowską-Curie kontynuowano doświadczenia z zakresu fizyki jądrowej.

W 1944 roku miała odbyć się w Warszawie Wystawa Światowa. W tym samym roku miasto przestało istnieć...

KRONIKA CZASU ZAGŁADY
1939
1 września. - Pierwszy nalot niemiecki na Warszawę. Od tego dnia

saw concentrated its leading scholars, artists and other creative personalities. Its museums and galleries displayed Poland's most priceless works of art. It was here that the most advanced research projects were conducted, including an experimental television station. Experiments on jet engines were carried out, and the theoretical bases for radar technology were developed. Experiments in nuclear physics were conducted at the Radium Institute set up by Maria Skłodowska-Curie.

Warsaw had intended to play host to a world's fair in 1944. That was the year the city ceased to exist.

CHRONICLE OF DESTRUCTION
1939
1 September - Warsaw experiences its first air raid. From then on it would be bombed daily until the city capitulated. Heavy aerial bombardment on 10 and 15 September included the

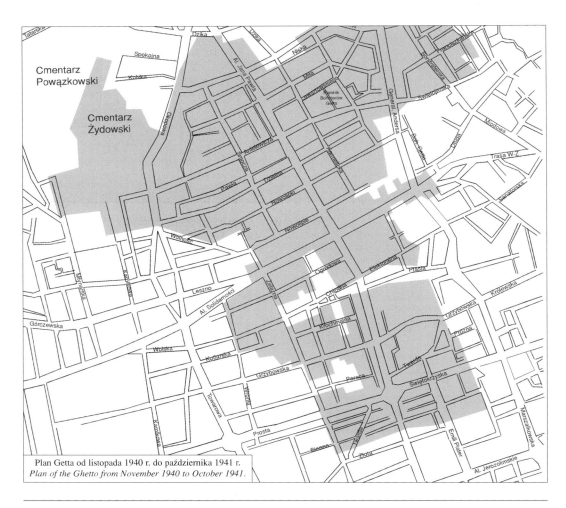

Plan Getta od listopada 1940 r. do października 1941 r.
Plan of the Ghetto from November 1940 to October 1941.

bombardowania będą powtarzać się codziennie, aż do momentu kapitulacji miasta. Ciężkie ataki lotnicze 10 i 15 września, m.in. ostrzeliwanie z powietrza kolumn cywilnych uchodźców i pracujących w polu kobiet.

8 września - Początek oblężenia Warszawy.

17 września- Płonie Zamek Królewski, Katedra, Filharmonia i wiele domów.

25 września - Masowy nalot 400 samolotów, które zrzuciły 562 tony bomb burzących i 72 zapalających. Brak wody do gaszenia ponad dwustu pożarów. Płoną całe ciągi uliczne.

26 września - Szturm miasta, odparty przez obrońców.

Mur Getta.

The Ghetto wall.

strafing of columns of civilian refugees fleeing thre city and women working in fields.

8 September - The siege of Warsaw begins.

17 September - The Royal Castle, the Cathedral, Philharmonic Hall and many other buildings are ablaze.

25 September - A blanket aerial attack by 400 warplanes takes place, during which 562 tonnes of destructive bombs and 72 tonnes of incendiary bombs are dumped on Warsaw. There is no water to extinguish the more than 200 fires that break out. Entire streets are in flames.

26 September - Attempts to take the

28 września - Kapitulacja Warszawy wobec beznadziejności dalszego oporu, cierpień ludności, wyczerpania środków obrony, braku żywności, a m u n i c j i i wody.

1 października. - Wkroczenie N i e m c ó w do Warszawy. Zniszczenia miasta objęły 12% zabudowy. Zginęło 2000 żołnierzy polskich i 10 000 cywilów.

Ruiny getta.

The ruins of the Getto.

21 października - Pierwsze mordy dokonane przez okupanta na ludności cywilnej. Do 1 sierpnia 1944 roku w egzekucjach ulicznych i obozach

city by storm are repulsed by its defenders.

28 September - Warsaw capitulates in view of the hopelessness of further resistance, the suffering of its inhabitants and shortages of defence equipment, food, ammunition and water.

1 October - Germans enter Warsaw. Twelve percent of the city's buildings lie in ruins. 2,000 Polish soldiers and 10,000 civilians are dead.

21 October - The occupiers carry out their first executions of civilians.

zagłady zostanie zamordowanych ok. 300 000 mieszkańców Warszawy (nie licząc strat ludności żydowskiej w getcie).

4 listopada - Decyzja gubernatora generalnego Hansa Franka o zburzeniu Zamku Królewskiego. Po dokładnym obrabowaniu wnętrz budowli Niemcy wykuwają tysiące otworów w murach w celu ich późniejszego zaminowania.

1940

6 lutego - Urbaniści niemieccy przedstawiają Hitlerowi plan przekształcenia Warszawy w "Nowe miasto niemieckie", zasiedlone przez zaledwie 100 tysięcy kolonistów niemieckich i kilkaset tysięcy niewolników-Polaków, zgrupowanych w obozie pracy na prawym brzegu

Sprzedawca opasek w getcie. 1940 r.

Armband vendor in the Ghetto, 1940.

By 1 August 1944, some 300,000 Warsaw inhabitants (not to mention the human losses suffered in the Jewish ghetto) would be killed in street executions and death camps.

4 November - Nazi Governor General Hans Frank announces the decision to destroy the Royal Castle. After thoroughly looting its interior. the Germans drill thousands of holes in its walls in which explosive charges are to be placed.

1940

6 February - German town-planners present Hitler with a plan to transform Warsaw into a "New German Town" of a mere 100,000 German colonists and several hundred thousand Polish slaves, grouped in a labour camp on the right bank of the Vistula. All his-

Wisły. Wszystkie dzielnice historyczne mają ulec zburzeniu, z wyjątkiem trzonu dzielnicy staromiejskiej, uznanej za "typowo niemiecką"!

W owym czasie Warszawa liczy niemal 1,5 mln mieszkańców. Wzrost ten spowodowany został migracjami w wyniku przymusowych wysiedleń z terenów Wielkopolski, Pomorza i Śląska, a także ucieczek z terenów okupacji sowieckiej i wywózek Żydów z podwarszawskich okolic do utworzonego w końcu 1939 roku getta.

15 października - Dzielnica północno-zachodnia, przeznaczona przez Niemców na wyłączny teren

Getto. Ciała pomordowanych Żydów. Kwiecień 1943 r.

The Ghetto. Bodies of murdered Jews. April 1943.

toric districts are to be razed with the exception of the Old Town core, acknowledged as "typically German".

At that time Warsaw hand a population of 1.5 million. That increase was accounted for by migrations of Poles expelled from Great Poland, Pomerania and Silesia, an influx of refugees fleeing Soviet occupation and the transfer of suburban Jews to the Warsaw ghetto set up in late 1939.

15 October - The north-western district, designated by the Germans as the sole area of Jewish habitation, is surrounded by a wall and cut off from the rest of the city. More than 400,000 people are

osiedlania Żydów, zostaje otoczona murem i całkowicie odcięta od reszty miasta. Na obszarze 4 km^2 zamieszkuje w strasznych warunkach przeszło 400 tysięcy ludzi. Do 1942 roku z głodu i chorób zmarło ok. 100 tysięcy.

1941

23 czerwca - Pierwszy sowiecki nalot na Warszawę po napadzie Niemiec na ZSRR; ofiary wśród ludności cywilnej. Kolejne bombardowanie, 13 listopada, przynosi zburzenie kilku domów i śmierć ok. 50 osób.

1942

22 lipca - Początek planowej eksterminacji ludności żydowskiej; do 12 września wywieziono do obozów zagłady i zagazowano 310 322 mężczyzn, kobiet i dzieci. Ok. 6000 starców i chorych, niezdolnych do transportu, zamordowano wprost na ulicy. W getcie pozostaje ok. 70 tys. Żydów, zatrudnionych w fabrykach niemieckich.

20 sierpnia - Ciężki nalot sowiecki

crowded together in horrible conditions in a four square kilometre area. By 1942, some 100,000 die of starvation and disease.

1941

23 June - The first Soviet air raid against Warsaw takes place following Germany's attack on the USSR; there are civilian casualties. The next bombardment on 13 November destroys several buildings and kills about 50 people.

1942

22 July - The planned extermination of the Jewish population begins; by 12 September 310,322 men, women and children are sent to death camps and gassed. Some 6,000 elderly and infirm Jews unfit to travel are murdered right in the street. About 70,000 Jews, employed in German factories, remain in the ghetto.

20 August - A heavy Soviet air raid takes place and is repeated on 1 September. As a result of both bombard-

na Warszawę, powtórzony 1 września. Oba naloty, których celem był stołeczny węzeł kolejowy, spowodowały śmierć 239 i rany 511 mieszkańców, głównie wśród ludności robotniczej Woli i doprowadziły do masowych ucieczek z miasta. Wojskowe straty niemieckie były zupełnie nieznaczne.

1943

19 kwietnia - Próba ostatecznej likwidacji dzielnicy żydowskiej doprowadza do wybuchu powstania w getcie. Nierówna walka trwa aż do 16 maja. Po wymordowaniu resztek ludności Niemcy palą getto, a następnie wysadzają w powietrze i równają z ziemią całą zabudowę dzielnicy. Przez następny rok w gruzach getta funkcjonuje obóz koncentracyjny i odbywają się masowe egzekucje Polaków.

12 maja - Sowiecki nalot na Warszawę. Zniszczenia w rejonie Śródmieścia i Ochoty. Straty ludności cywilnej: 149 zabitych i 223 rannych.

ments, whose target was the Warsaw rail junction, 239 people are killed and 511 wounded, mainly among the working class of the Wola district. This causes many to flee the city. German military losses are negligible.

1943

19 April — An attempt to completely liquidate the Jewish quarter sparks off an uprising in the ghetto. An uneven battle rages until 16 May. After murdering the remaining survivors, the German set fire to the ghetto then blow it up and level it with the ground. Over the next year, a concentration camp is operated on the rubble of the former ghetto, and mass executions of Poles take place.

12 May - A Soviet air raid takes place. The city centre and the Ochota district sustain the most damage; 149 civilians are killed and 223 injured. This attempt to paralyse German troop transports through the city fails once again.

Próba sparaliżowania transportu wojsk niemieckich przez miasto i tym razem się nie powiodła.

16 maja - Niemcy wysadzają w po-

16 May - The Germans blow up the Great Synagogue. General Stroop reports to Hitler: "Warsaw's Jewish district has ceased to exist."

Żydzi wyprowadzani z Getta.

Jews led from Ghetto.

wietrze Wielką Synagogę. Gen. Stroop raportuje Hitlerowi: "Żydowska dzielnica mieszkaniowa w Warszawie przestała istnieć".

1944

1 August - An uprising breaks out in Warsaw. Undermanned Polish detachments take over most of the city, unfor-

1944

1 sierpnia - Wybuch powstania w Warszawie. Słabe oddziały polskie zajmują większą część miasta, niestety bez mostów, lotnisk i centrów łączności, skutecznie bronionych przez Niemców. Heinrich Himmler wydaje rozkaz wymordowania wszystkich mieszkańców i zrównania miasta z ziemią.

Sierpień - pacyfikacja Woli; w ciągu kilku dni rozstrzelano tu 40 tysięcy mieszkańców. Ludność Ochoty pada ofiarą bestialstwa najemników rosyjskich z osławionych oddziałów RONA. W innych dzielnicach z ludnością cywilną "walczą"

Powstanie Warszawskie. Powstaniec w czasie bitwy.

The Warsaw Uprising. A soldier in battle.

tunately with the exception of its bridges, airports and communications centres, effectively defended by the Germans. Heinrich Himmler orders all the city's inhabitants killed and the city levelled to the ground.

August - The Wola district is "pacified"; within a few days 40,000 of its inhabitants are shot residents fall victim by the notorious RONA units of Russian mercenaries, known for their bestiality. In other parts of the city, units composed of Ukrainian and Kalmuk collaborators and companies comprising common criminals "fight" against civilians. In terms of cruelty, they are

kolaboranckie jednostki Ukraińców i Kałmuków, oraz kompanie sformowane z pospolitych kryminalistów, którym nie ustępują pod względem okrucieństwa doborowe oddziały niemieckiej policji i SS. Od połowy miesiąca trwają zaciekłe boje o Stare Miasto, które ulega całkowitemu zniszczeniu. Próba przebicia się silnego zgrupowania polskiego z Puszczy Kampinoskiej na Starówkę kończy się krwawą porażką.

Wrzesień - Niemcy opanowują ewa-

Powstańcy "Rybak" lat 18 i "Kajtek" lat 13.

Uprising soldiers „Rybak" aged 18 and „Kajtek" aged 13.

a match for the crack German police and SS units. From mid-August a pitched battle for Old Town rages, ending in its total destruction. An attempt by a strong Polish force to make their way from Kampinos Forest (north of the city) to Old Town ends in bloody defeat.

September - The Germans occupy Old Town, after it is evacuated by the freedom-fighters, and murder seriously injured soldiers and civilians found in hospitals.

14 September - The Soviet army and a Polish infantry division under its

kuowane przez powstańców Stare Miasto i mordują pozostawionych w szpitalach ciężko rannych cywilów i żołnierzy.

14 września - Armia sowiecka i podporządkowana jej polska dywizja piechoty opanowują prawobrzeżną część miasta. Przyczyną dalszej bierności Sowietów jest wygodna dla nich perspektywa zniszczenia głównego ośrodka niepodległościowego oporu rękami Niemców. Podjęta przez pododdziały Wojska Polskiego, a nieuzgodniona z sowieckim dowództwem próba przyjścia z odsieczą powstaniu, mimo lokalnego powodzenia, nie jest w stanie zmienić biegu wydarzeń.

Od 24 września trwa ofensywa

Powstańcy wychodzący z kanałów. 1944 r.

Uprising soldiers coming out of the sewers.

command capture right-bank Warsaw. The reason for the Russian's subsequent passivity is the convenience of having the main centre of the Polish freedom struggle destroyed by German hands. An attempt by Polish army sub-units, uncoordinated with the Soviet command, to come to the aid of the insurgents cannot change the course of events, despite sporadic local successes.

From 24 September a German offensive in Mokotów district rages, and from the 28th Żoliborz is under siege. The city centre is systematically pounded by hundreds of bombs and the heaviest artillery shells.

2 October - Warsaw capitulates after 63 days of struggle. The losses

niemiecka na dzielnicę Mokotów, a od 28 szturmowany jest Żoliborz. Na Śródmieście spadają systematycznie setki bomb i najcięższych pocisków.

2 października - Warszawa kapituluje po 63 dniach walki. Straty w poległych: 15 tysięcy żołnierzy i ponad 150 tysięcy cywilów; większość zabudowy lewobrzeżnej części miasta uległa zburzeniu bądź wypaleniu. W ciągu następnych tygodni pozostała przy życiu część ludności zostaje wypędzona z miasta. Okupant rabuje wszystko co jeszcze nadaje się do wywiezienia, nawet meble i odzież. Resztę niszczy na miejscu.

Rozkaz Himlera z 16 stycznia 1943 r. nakazujący zniszczenie Getta

Himler's order of 16 January 1943 to destroy the Ghetto.

amount to 15,000 soldiers and more than 150,000 civilians killed; most of the buildings in left-bank Warsaw have been destroyed or burnt. Over the next several weeks the surviving inhabitants are driven from the city. The occupiers plunder anything that can be taken, including furniture and clothing; and destroy what is left.

November/December - The city's planned destruction is carried out. After being carefully numbered, buildings are blown up by the Germans in their order of importance to Polish culture. This applies in particular to valuable historical monuments indicated by

Listopad /grudzień - Planowa akcja niszczenia miasta. Poszczególne budowle po wcześniejszym ponumerowaniu Niemcy wysadzają w powietrze według ściśle ustalonej kolejności. Dotyczy to zwłaszcza najcenniejszych zabytków, wskazanych przez niemieckich historyków sztuki: Zamku Królewskiego, pałaców i kościołów. Te same kryteria stosuje się przy niszczeniu zbiorów muzealnych, bibliotek i archiwów. Pewną część dóbr kultury

German art historians: the Royal Castle, palaces and churches. The same criteria are used in destroying museum, library and archive collections. A portion of the cultural treasures are rescued by Polish scholars. Entire streets of buildings, such as blocks of flats, which the Germans consider less valuable, are set on fire. They also systematically destroy the city's infrastructure, including the power-station, waterworks, telephone

Ruiny ul. Nowomiejskiej.

The ruins of Nowomiejska Street.

ratują polscy uczeni. Zabudowę mieszkalną, uznaną za mniej wartościową, Niemcy podpalają całymi ciągami ulic. Niszczą też metodycznie infrastrukturę miejską, w tym elektrownię, filtry, kable telefoniczne, a nawet drzewa.

1945

17 stycznia - Wojska sowieckie i polskie wkraczają na obszar, na którym istniała niegdyś Warszawa - milionowa metropolia europejska.

BILANS STRAT

17 stycznia 1945 roku Warszawę zalegało 20 mln m^3 gruzu. Spośród 162 tysięcy mieszkańców tylko 22 tysiące przetrwało w mieście lewobrzeżnym i to na odległych peryferiach. Całość strat ludności szacuje się na 650 tysięcy stałych mieszkańców (w tym ok. 300 tysięcy Żydów) i 200 tysięcy spośród ludności napływowej (ok. 50% Żydów). Należy przypomnieć, że w chwili wybuchu wojny

lines and even trees.

1945

17 January - Soviet and Polish troops march into the area where the one-million-strong European metropolis of Warsaw once stood.

THE BALANCE OF LOSSES

On 17 January 1945, Warsaw lay buried beneath 20 million cubic metres of rubble. Of the 162,000 left-bank inhabitants, only 22,000 had survived and, even then, mainly in distant fringe areas. Total population losses are estimated at 650,000 inhabitants (including some 300,000 Jews) and 200,000 newcomers (50% of them Jews). It should be noted that about 1.3 million people had lived in Warsaw when the war first broke out.

Of the 25,498 buildings existing in Warsaw in 1939, 11,229 were totally destroyed, 3,879 — partially destroyed and 10,390 — lightly damaged. The last group included mainly buildings

Warszawę zamieszkiwało ok. 1,3 mln ludzi.

Z 25 498 budynków istniejących w Warszawie w 1939 roku, zniszczono całkowicie 11 229, częściowo 3879, a lekko uszkodzono 10390. W ostatniej grupie mieściły się głównie domy prawobrzeżnej Pragi i niskostandardowa zabudowa peryferii miasta. Rozkład zniszczeń był nierównomierny. Poza całkowicie zburzonym gettem największe straty (niemal 100%) poniosła dzielnica centralna wraz ze Starym Miastem. Nowoczesne

Kolumna Zygmunta w 1945 r.

Zygmunt's Column in 1945.

in right-bank Praga district and substandard structures in suburban areas. The destruction was not uniformly distributed. In addition to the entirely demolished ghetto, the biggest losses (close to 100%) were suffered by the city centre including Old Town. Even though most of their buildings had suffered fire damage, the modern surrounding districts, Żoliborz, Mokotów and to some extent Ochota, could be quickly repaired thanks to their solid construction. It should be noted that in the city centre,

dzielnice zewnętrzne: Żoliborz, Mokotów, a częściowo także Ochota, mimo spalenia większości domów nadawały się do szybkiej odbudowy, dzięki mocnej konstrukcji budynków. Należy zaznaczyć, że w Śródmieściu, gdzie domów wypalonych było wielokrotnie więcej niż zburzonych, przeważały budynki stare, z drewnianymi stropami. Z kamienic takich po pożarze pozostawały jedynie elewacje, grożące zawaleniem przepalonych murów. Z drugiej strony większość ocalałych zasobów mieszkaniowych wykazywała zużycie techniczne wyższe niż 50%. Tragiczny był los budynków sklasyfi-

Rynek Starego Miasta.

Old Town Square, 1945.

where many more buildings had been gutted by fires than razed, older buildings with wooden roofs predominated. Only the flame-scorched shells of such buildings were left standing, threatening to collapse at any moment. On the other hand, most of the surviving housing displayed a technical wear level of 50%. The fate of buildings classified as historic before the war was tragic: of the 957 structures thus classified, 782 had been totally destroyed, 141 — partially destroyed, and only had survived more or less intact. Of the 31 public monuments, only nine had survived, and 90% of the municipal and

kowanych przed wojną jako zabytkowe: spośród 957 całkowitemu zniszczeniu uległo 782, częściowemu

state archives had been destroyed.

Also tragic was the state of the city's infrastructure. 100% of its

Groby warszawiaków na ulicach miasta.

The graves of Warsovians in the city's streets.

141, a tylko 34 przetrwały w lepszym lub gorszym stanie. Z 31 pomników pozostało 9, archiwa miejskie i państ-

bridges, 98.5% of its lamp-posts, 85% of its tramlines, 90% of its factories and 70% of its cable network lay in

wowe straciły 90% zasobów.

Podobnie tragicznie przedstawiał się stan infrastruktury miejskiej. Zniszczeniu uległo przykładowo: 100% mostów, 98,5% lamp ulicznych, 85% sieci tramwajowej, 90% zakładów przemysłowych i 70% sieci kablowej.

Globalną sumę zniszczeń miasta oszacowano na 84% i 2,5 mld ówczesnych dolarów.

PIERWSZA DEKADA ODBU-DOWY

1945 - Już w ciągu pierwszej doby po opuszczeniu miasta przez Niemców udaje się prowizorycznie uruchomić dwa wysadzone mosty. Do Warszawy wracają pierwsi mieszkańcy, niektórzy przekraczają Wisłę po grubym lodzie. Rozminowywanie trwa od chwili wyzwolenia; do 10 marca usunięto bądź zlikwidowano niemal 100 tysięcy niewypałów. Od lutego trwa akcja ekshumacyjna - doliczono się ok. 25 tysięcy mogił na

ruins. The city's overall destruction was estimated at 84%, or $2.5 billion in terms of their monetary value at that time.

THE FIRST DECADE OF RECON-STRUCTION

1945 - In the first 24-hour period following the German withdrawal, makeshift repairs put two blown-up bridges back into service. The first inhabitants begin returning to Warsaw, some of them crossing the thick ice crust covering the River Vistula. Mine-removal operations begin immediately after the city's liberation. By 10 March nearly 100,000 mines are removed or liquidated. In February, exhumation efforts get under way. Some 25,000 bodies are found buried in city streets, squares and courtyards and another 150,000 corpses are estimated beneath the rubble and in sewers.

A Capital Reconstruction Bureau is

ulicach i placach, a liczbę zwłok w gruzach i kanałach szacuje się na około 150 tysięcy.

Powstaje Biuro Odbudowy Stolicy, które rozpoczyna działalność od inwentaryzacji zniszczeń i umieszczenia tablic informacyjnych na ruinach najcenniejszych budowli. 11 lutego uruchomiono radiostację. W tym samym czasie rozpoczynają zajęcia pierwsze szkoły, a uniwersytet przystępuje do odgruzowywania zniszczonych budynków i rozpoczyna zapisy kandydatów na studia.

W marcu Warszawa liczy 241 tysięcy mieszkańców. Ludność spontanicznie rozpoczyna remonty mniej zniszczonych domów, głównie na Żoliborzu i Mokotowie. Niezależnie od tego przystępuje się do planowej akcji odgruzowywania najważniejszych ulic: Marszałkowskiej, Krakowskiego Przedmieścia i Nowego Światu. Uruchomiona zostaje komunikacja trolejbusowa, a z Dworca Wschodnie-

set up and begins by taking an inventory of the destruction and marking the sites of the most valuable former structures. On 11 February a wireless-station is put into operation. At the same time, the first schools reopen, and the university sets about clearing its buildings of rubble and signing up its first prospective students.

By March, Warsaw's population grows to 241,000. Its people spontaneously begin repairing damaged buildings, particularly in Żoliborz and Mokotów. In addition, a gigantic rubble-removal campaign is launched along the city's main arteries: Marszałkowska, Krakowskie Przedmieście and Nowy Świat. A trolleybus line is put into service, and trains begin leaving the Eastern Railway Station in the Praga district. LOT Polish Airline restore their first passenger services. The city's first restored hotel, the Polonia, awaits its first guests. The waterworks are back in service, and

go na Pradze ruszają pociągi. Pierwszą linię pasażerską otwierają też Polskie Linie Lotnicze LOT. Na gości oczeku-

water again flows from Warsaw's taps. In April, the first cinema and public library reopen. The first printing-press

Widok ze skarpy przy wiadukcie na ulicy Karowej w kierunku ulicy Furmańskiej.

View from the cliff near the Karowa Street viaduct to the Furmańska Street.

je pierwszy wyremontowany hotel "Polonia". Warszawa ma już wodę z naprawionych filtrów.

and one turbo-generator of the power-station is put back into service. The latter makes it possible for 18 street-

W kwietniu uruchamia się pierwsze kino i bibliotekę publiczną. Rusza pierwsza maszyna drukarska i jeden turbogenerator elektrowni, który umożliwia na początek oświetlenie ulicy Targowej na Pradze osiemnastoma latarniami. Prace zabezpieczające obejmują pierwsze zabytki na Rynku Staromiejskim i w rejonie Traktu Królewskiego.

W maju Warszawa liczy 366 tysięcy mieszkańców., a w sierpniu 408 tysięcy. W tym czasie rozebrano przeszło 700 tysięcy metrów sześciennych najbardziej zniszczonych budynków. działa 236 latarni ulicznych, a gazownia miejska osiąga 35% swej przedwojennej zdolności produkcyjnej. Na cokół powraca pierwszy ze zniszczonych pomników: Mikołaj Kopernik.

We wrześniu rusza pierwszy tramwaj w lewobrzeżnej Warszawie. W końcu roku miasto ma już 467 tysięcy mieszkańców. Czynnych jest 6

lamps to illuminate Praga's Targowa Street. Work is begun to prevent the further devastation of architectural monuments in the Old Town marketplace and along the Royal Way.

By May, Warsaw's population will have climbed to 366,000, and by August — 408, 000. During the time, the most damaged buildings with a volume of more than 700,000 cubic metres are razed, 236 street-lamps are back in service, and the municipal gasworks are restored to 35% of their pre-war capacity. The statue of Mikołaj Kopernik (Copernicus) is the first monument restored to its pedestal. In September, the first tram returns to the streets of left-bank Warsaw. By year's end, the city's population amounts to 467,000. Six academic institutions are functioning, 31 school and kindergarten buildings are returned to service and 11 hospitals are operating.

1946 - Two bridges are rebuilt and

wyższych uczelni. Do użytku oddano 31 budynków dla szkół i przedszkoli oraz 11 gmachów szpitalnych.

1946 - Odbudowa dwóch mostów, otwarcie Teatru Polskiego. Przeprowadzane masowo rozbiórki obejmują domy nadające się do odbudowy. Jednym z powodów jest chęć pozyskania cegły, której zaczyna brakować wśród pospiesznie wywożonych, bądź przerabianych na materiały budowlane gruzów. Z drugiej strony częsta jest niechęć ówczesnych decydentów do dzieł wielkomiejskiej architektury z przełomu XIX i XX wieku. Ocalałe budowle z tego okresu,

Róg ulicy Marszałkowskiej i Królewskiej.

The Marszałkowska and Królewska Street corner.

the Polski Theatre reopens. A mass demolition campaign encompasses buildings that could easily be rebuilt. One the reason is to salvage bricks which are running short due to the hasty removal of rubble or its reprocessing into building materials. On the other hand, the decision-makers of that day were often hostile to the urban architecture of the late 19th and early 20th century. Surviving structures of that period are dubbed "the soulless creations of capitalism" and are wantonly altered or destroyed.

1947 - Warsaw's population is now 539,000. Owners are engaged in

oceniane jako "bezduszne twory kapitalizmu", są lekkomyślnie przebudowywane i niszczone.

1947 - Stolica liczy 539 tysięcy mieszkańców. Trwa spontaniczna akcja odbudowy dziesiątków kamienic przez dotychczasowych właścicieli, m.in. w rejonie Nowego Światu, Chmielnej, Brackiej i Marszałkowskiej. Przy tej ostatniej ulicy koncentruje się handel miejski, zlokalizowany w parterach wypalonych i rozebranych kamienic. Ruiny te kryją nierzadko wnętrza sklepów, zaprojektowanych z niebywałym rozmachem przez najwybitniejszych twórców. Handel chodnikowy, znany z pierwszych miesięcy po wyzwoleniu, odchodzi powoli w niepamięć.

1948 - 576 tysięcy mieszkańców w początkach roku. Przystąpiono do budowy Trasy W-Z, umiejętnie przeprowadzonej (częściowo w tunelu) przez centrum dzielnicy zabytkowej. W sąsiedztwie trasy powstaje kamer-

a spontaneous reconstruction campaign of their buildings in the area of Nowy Świat, Chmielna, Bracka and Marszałkowska streets. The city's retail trade is concentrated along Marzsałkowska in shops on the ground floor of flame-gutted and demolished buildings. Within these ruins are found shop interiors designed with uncommon flair by some of the leading decorators. The street traders common in the early months following liberation are gradually disappearing.

1948 - At the start of the year, Warsaw's population is 576, 000. The building of the East-West Thoroughfare gets under way. Part of the thoroughfare leads through a tunnel, skilfully built beneath the centre of the city's historic quarter. Near the E-W Thoroughfare is built the cosy, little Mariensztat housing estate. It is reminiscent of an historic small-town square — a style unknown in pre-war Warsaw. Similar restrictions are intro-

alne osiedle Mariensztat, uwzględniające po raz pierwszy nieznaną
w przedwojennym Śródmieściu ma
łomiasteczkową skalę zabudowy. Podobne ograniczenia wprowadzone
przez BOS obowiązują w ciągu
Nowego Światu, gdzie odbudowywane domy nie mogą
mieć więcej niż
dwa piętra, podczas gdy przed
wojną przeważały tu kamienice o czterech, a nawet
pięciu piętrach.
Buduje się pierwsze osiedle na gruzach getta.
Trudności z wywożeniem ogromnej
masy gruzu zalegającego tę dzielnicę
powodują, że nowe domy powstają
często na nasypach kryjących resztki

Pałac Saski w 1946 r.

The Saski Palace in 1946.

*duced by the Capital Reconstruction
Bureau along Nowy Świat, whose rebuilt structures may not exceed two
storeys, although before the war four-
and even five-storey buildings predominated. The first
housing estate
is built on the
rubble of the
former Warsaw
ghetto. Because
of the difficulty
of removing an
incredibly huge
mountain of
rubble from this
district, new
buildings are
often built atop
levelled earth
covering what is left of the rubble-
filled ground floors and cellars of the
old tenements.*

*1949 - The population of Warsaw
grows to 605,000. The East-West Tho-*

przyziemi starych kamienic.

1949 - Liczba mieszkańców wzrasta do 605 tysięcy. Otwarto Trasę W-Z wraz z odbudowanym i przekształconym mostem drogowym. Inwestycję tę uznaje się za jedno z najwybitniejszych osiągnięć tego typu w skali europejskiej. Przywrócono do życia także kolejowy most średnicowy. Na swoje miejsce powraca symbol miasta - Kolumna Zygmunta. Odbudowuje się Krakowskie Przedmieście, obecnie najpiękniejszą ulicę Warszawy.

Po zlikwidowaniu opozycji politycznej władze przystępują do stopniowej eliminacji sektora prywatnego. Dotyczy to małych przedsiębiorstw

Ulica Podwale.

The Podwale Street.

roughfare leading onto a rebuilt and transformed bridge for vehicle traffic, is officially opened. This project is ranked among Europe's most outstanding achievements of its kind. A railway bridge is also put back into service. The King Zygmunt Column, a symbol of Warsaw, returns to its former site. Krakowskie Przedmieście is rebuilt — now Warsaw's most beautiful street.

Having quashed all political opposition, the Communist authorities gradually set about eliminating the private sector. This involves small enterprises and retail shops — the motor force of the city's economic resurgence. After

i sklepów, dotychczas napędzających koniunkturę gospodarczą w mieście. Po nacjonalizacji gruntów przychodzi pora na zabór domów czynszowych. Dalszy proces odbudowy będzie odtąd kontrolowany i kształtowany przez reżim.

1950 - Warszawa odzyskuje zrekonstruowany pomnik Adama Mickiewicza. W grudniu istnieje w mieście 404 600 izb mieszkalnych. Władze uchwalają 6-letni plan odbudowy Warszawy. W architekturze i sztuce zaczyna obowiązywać stalinowska doktryna socrealizmu, która ma zaowocować przekształceniem Śródmieścia w gigantyczne forum o nadmiernej skali założeń przestrzennych i obcej dla miasta architekturze, czerpiącej jakoby z dorobku sztuki narodowej, de facto zaś - powielającej wzory radzieckie. Rok ten przynosi ostateczne zniszczenie reliktów wolnego rynku w Stolicy i kraju.

1951 - 815 tysięcy mieszkańców.

land is nationalised, tenements are taken away from their owners. Further rebuilding is to be controlled and determined by the Communist regime.

1950 - Warsaw regains the reconstructed Adam Mickiewicz Monument. By December, the city boasts 404,600 dwelling units (rooms). The authorities adopt a six-year plan to rebuild Warsaw. The Stalinist doctrine of socialist realism is now obligatory style in art and architecture. This is to lead to the reconstruction of the city centre into a gigantic forum of architectural innovations of exaggerated proportions and alien to the spirit of Warsaw. Although purportedly inspired by Polish national architecture, in reality socialist realism is little more than a copy of the Soviet model. The year 1950 also witnessed the destruction of the last vestiges of free enterprise in Warsaw and throughout the country.

1951 - Warsaw's population stands at 815, 000. A decision by the au-

Decyzją władz rozszerzono ponad trzykrotnie obszar miasta - ze 141 do 446 km². Odbudowa starej substancji mieszkaniowej ustępuje powoli pola budowie nowych osiedli: M u r a n o w a, Mirowa, Młynowa, Koła, M o k o t o w a i Grochowa.

1952 - 865 tysięcy mieszkańców. Oddano do użytku zabudowę pl. Konstytucji - p i e r w s z e g o f r a g m e n t u śródmiejskiego o s i e d l a M.D.M., propagandowego pomnika doktryny miasta "narodowego w formie i socjalistycznego w treści", co w rzeczywistości oznaczało siermię-

Ulica Kościelna nr. 10 w 1945 r.

10 Kościelna street in 1945.

thorities expands the city's area from 141 to 446 square kilometres. Reconstruction of the city's old architectural resources gradually gives way to the building of new housing estates: Muranów, Mirów, Koło, Mokotów and Grochów.

1952 - Warsaw's inhabitants now number 865, 000. Uprising. Constitution Square was officially opened, the first fragment of the central MDM housing estate. This showcase of the doctrine of a city "national in form and socialist in substance" in reality amounted to the squalor of life under

żną rzeczywistość ukrytą za pałaco-
wymi fasadami.

1953 - 913 tysięcy mieszkańców.
Znaczącym osiągnięciem jest zakoń-
czenie odbu-
dowy Rynku
Staromiej-
skiego - kilka-
dziesiąt ka-
mieniczek zo-
stało pieczo-
łowicie zre-
konstruowa-
nych, na pod-
stawie ura-
towanych
z pożogi Pow-
stania przed-
wojennych
pomiarów ar-
chitektonicz-
nych. Odbudowa pozostałej części
Starówki przeciągnęła się do 1962
roku.

Wiele budowli zabytkowych ulega

*Communism concealed by palatial fa-
çades.*

*1953 - The city's population grows
to 913,000.   A major achievement is
the completion
if the recon-
struction of
the Old Town
market-place.
Dozens of
buildings have
been restored
on the basis of
architectural
documents not
destroyed in
the Warsaw
Uprising.*

*Reconstruc-
tion of Old
town's re-
maining quarters drags on until 1962.
Many historic buildings are hastily
demolished, because their number is
such that fulfilment of the plan im-*

Pałac Staszica i kościół św. Krzyża.

The Staszic Palace and the St. Cross Church.

pospiesznej rozbiórce, ponieważ ich ilość zagraża realności wykonania narzuconego przez władze planu. Ofiarą wyburzeń padają, poza dziesiątkami kamieniczek, bezcenne pamiątki historii, m.in. Zamek Ujazdowski, Ratusz i kościół Kanoniczek na pl. Teatralnym. Wstrzymano na pewien czas odbudowę Zamku Królewskiego.

1954 - 959 000 mieszkańców. Triumfy święci doktryna socrealizmu, a budowle w tym stylu zapełniają wszystkie ważniejsze ulice Śródmieścia.

1955 - 981 000 mieszkańców. Ukończono budowę Pałacu Kultury i Nauki. Ten kuriozalny "dar narodów radzieckich dla Warszawy", zniszczył całą sieć ulic w Śródmieściu i doprowadził do rozbiórki pewnej ilości świeżo odbudowanych domów. Plac otaczający Pałac do dziś pozostaje niezabudowany.

Powstaje Stadion X-Lecia, największy w Polsce. Usypane z gruzów

posed by the authorities might be jeopardised. In addition to dozens of old tenements, the victims of this campaign include such valuable historic structures as Ujazdów Castle as well as the Town Hall and Canoness Church in Theatre Square. Reconstruction of the Royal Castle is held up for two decades.

1954 - Warsaw now counts 956, 000 inhabitants. The doctrine of socialist realism reigns supreme, and buildings reflecting that style crop up along all the city centre's major streets.

1955 - 981,000 people now live in Warsaw. The Palace of Culture and Science is completed. This curious "gift of the Soviet nations to Warsaw" has destroyed the entire network of central Warsaw's, even necessitating the demolition of some newly-reconstructed buildings. The huge square surrounding the palace has not been built up to this day.

sztuczne wzgórze staje się swoistym grobowcem przedwojennej Warszawy. Na fali politycznej "odwilży" dogorywa socrealizm. Nadgorliwa krytyka potępia nawet niewątpliwe osiągnięcia tej doktryny - tendencję do zwartości i koncentracji zabudowy w Śródmieściu. Pierwszy pokaz budownictwa wielkopłytowego zwiastuje czasy architektury betonu, dezurbanizacji, niekonsekwencji planistycznej i chaosu przestrzennego, tak dobrze widocznych w krajobrazie dzisiejszego mias-

Ruiny ul. Piwnej i Świętojerskiej.

The ruins of Piwna and Świętojerska Streets.

The 10-Year Stadium, Poland's largest, is being built. Constructed round an artificial mountain of rubble, it becomes a kind of tomb for pre-war Warsaw. On the wave of a political "thaw", socialist realism is dying a natural death. Overzealous critics now condemn even the indisputable achievements of that doctrine — the tendency towards cohesive and concentrated development in the city centre. The first exhibition of prefabricated concrete-slab architecture rings in an

ta. W roku następnym Warszawa ma stać się, po raz drugi w swej historii, miastem milionowym...

PRÓBA OCENY

Ocena bezprecedensowego zjawiska odbudowy całkowicie zniszczonej metropolii jest zadaniem trudnym i nadal wzbudzającym emocje. Jest faktem bezspornym to, że wykonano gigantyczną pracę, przywracając do życia wypełnioną gruzami pustynię. Odbudowano wiele pamiątek historycznych, przywracając Warszawie część jej kulturowego dziedzictwa. Rekonstrukcję Starego Miasta można uznać za zjawisko bez precedensu, czego widomym znakiem jest wpisanie tego zespołu na listę Światowego Dziedzictwa Kulturowego UNESCO. Znakomite efekty osiągnięto także przy odbudowie Krakowskiego Przedmieścia, które z racji malowniczego układu i wielkiej różnorodności reprezentacyjnych budowli, stanowi praw-

area of concrete, de-urbanisation and the chaotic planning and development so visible in the landscape of the city today. The following year, for the second time in its history, Warsaw would become a city of one million inhabitants...

AN ATTEMPT AT AN EVALUATION

To assess the unprecedented reconstruction of a completely devastated metropolis is a difficult task which to this day evokes controversy. It is an indisputable fact that a gigantic effort was launched to restore life to a rubble-strewn wasteland. Many historical mementoes were rebuilt, partially restoring Warsaw's cultural heritage. The rebuilding of Old Town may be regarded as a project without precedent, as attested to by its inclusion on UNESCO's World Cultural Heritage list. Excellent results were also achieved in restoring Krakowskie

dziwą perłę dzisiejszej Warszawy. Krytyczniej należy podejść do osiągnięć rekonstrukcji dalszej części Traktu Królewskiego, przede wszystkim ulicy Nowy Świat, gdzie zastosowano zbyt niski i nadmiernie wyrównany gabaryt zabudowy. Nie udało się też przywrócić dawnego splendoru żadnemu z wielkomiejskich

Wycieczka dziennikarzy zachodnich po ruinach Warszawy.

An excursion of western journalists surveys the ruins of Warsaw.

niegdyś placów, które do dziś czekają na właściwą oprawę architektoniczną, w tym rekonstrukcję ważnych dla

Przedmieście, whose picturesque arrangement and the variety of its prominent structures have made it a true gem of modern-day Warsaw. A more critical approach is warranted towards the rebuilding of the further stretch of the Royal Way, primarily Nowy Świat Street, where inordinately low structures and excessive uniformity were imposed. None of the urban palaces have been truly restored to their former splendour. To this day they await

dziejów Warszawy gmachów reprezentacyjnych. Słusznym posunięciem było rozrzedzenie nadmiernie zagęszczonej zabudowy Śródmieścia i wprowadzenie wielkiej ilości zieleni miejskiej, dumy współczesnej Stolicy. Szkoda jednak, że przy okazji unicestwiono wiele pomników architektury doby eklektyzmu i secesji, ówcześnie kompletnie niedocenianych. Dziś tego rodzaju obiekty są dumą takich miast jak Paryż, Wiedeń czy Praga, podczas gdy Warszawa jest ich niemal w zupełności pozbawiona. Ostatnie lata przyniosły stopniowe zrozumienie dla sztuki czasów naszych dziadków i próby ratowania resztek tego dorobku. Proces restytucji

Ulica Kozia od strony ulicy Trębackiej.

The Kozia street, view from the Trębacka street.

an architectural setting that would do them justice, and other important Warsaw landmarks still remain to be rebuilt. It was a wise move to "thin out" Warsaw's excessively concentrated central business district and introduce abundant greenery, the pride of today's capital inhabitants. It is unfortunate, however, that in so doing many monuments of then spurned eclectic and secessionist architecture were completely destroyed. Today, such structures are the pride of such cities as Paris, Vienna and Prague, whereas Warsaw is devoid of such buildings almost entirely. Recent years have brought a better understanding for the art of our grandfathers' era as

najważniejszych zabytków nie został właściwie zakończony. Dopiero w latach siedemdziesiątych przywrócono narodowi Zamek Królewski, przy którego odbudowie wykorzystano tysiące ocalałych fragmentów wystroju i mnóstwo autentycznych elementów wyposażenia, ukrytych przed Niemcami w czasie wojny. Restytucja Zamku była prawdziwym popisem polskiej sztuki konserwatorskiej we wszystkich jej dziedzinach. W zbliżonym czasie zrekonstruowano Zamek Ujazdowski. W drugiej połowie lat 90. XX w. odtworzono fasady historycznych budowli w północnej pierzei placu Teatralnego, który jako pierwszy z wielkomiejskich placów Warszawy odzyskał niemal całą swą przedwojenną oprawę. Wprowadzenie w tym samym okresie nowoczesnej zabudowy w miejsce zburzonej na placu Krasińskich dało nie najlepsze efekty. Należy mieć nadzieję, że dojdzie wkrótce do przywrócenia War-

well as attempts to rescue surviving examples of that heritage. The process of restoring the most important historical monuments has yet to be completed. The Royal Castle was not returned to the nation until the 1970s. Its reconstruction incorporated thousands of elements concealed from the Germans during the Second World War. The castle's reconstruction was a true achievement of the art of Polish art conservation in all its aspects. The facades of the historical buildings were built on the northern side of the Teatralny Square in the second half of the 1990s and the Square was the first one to get back its almost complete pre-war look. At the same time, the introduction of modern architecture instead of the demolished buildings in the Krasiński square produced unimpressive effects.

One can only hope that Warsaw will soon regain the splendid palaces in Piłsudski Square. Its Tomb of the Un-

szawie wspaniałych pałaców na pl. Piłsudskiego. Stojący tam Grób Nieznanego Żołnierza mieści się pod szczątkami kolumnady jednej z tych budowli - dawnego pałacu Saskiego.

Trudniejszym zadaniem będzie usunięcie skutków różnych niewydarzonych koncepcji urbanistycznych, realizowanych po 1956 roku. Takim problemem są substandardowe osiedla mieszkaniowe, wzniesione w technologii wielkiej płyty, które nie tylko oszpeciły centrum Warszawy, lecz także zajęły najcenniejsze tereny budowlane. Wśród najnow-

known Solider is situated beneath what was left of the colonnade of one of those structures — the old Saxon Palace.

A more difficult task will be to eradicate the results of the inept town-planning schemes implemented after 1956. One such problem are the substandard housing estates built of prefabricated concrete slabs. They have not only disfigured central Warsaw but now occupy the city's most valuable real estate. The newest, typical large city buildings, most of them office towers and hotels, rarely repre-

Odgruzowywanie Rynku Starego Miasta w 1944 r.

Removing rubble from the Old Town Market Square in 1944.

szych obiektów o charakterze wielko-miejskim, głównie biurowców i hoteli, niewiele można wskazać budynków, które wyróżniałyby się nowatorstwem na tle przeciętnej produkcji architekto-nicznej w Europie i na świe-cie. Część z tych obiektów, w wie-lu przypadkach estetycznie i so-lidnie wykończo-nych, udatnie wpisała się w przestrzeń, wypełniając luki w starszej zabu-dowie, wiele innych jednak, chodzi tu głów-nie o wysokoś-ciowce, całkowicie ignoruje zastane otoczenie. Najbardziej prestiżowy z projektów urbanistycznych, przewi-dujący zabudowę "pustyni" wokół Pa-

Budowa trasy WZ.

The construction of the W-Z road.

sent innovative style any different than the average building production in Europe and worldwide. Some of these structures, usually nice and well fin-ished, neatly fit into their space and fill the gaps in older housing stock but quite a few high-risers seem to totally ignore their envi-rons. The most prestigious urban planning project for the develop-ment of the desert around the Pa-lace of Culture and Science, has been waiting years to be imple-mented. Meanwhile, dozens of build-ings are erected at areas for which detailed local plans have not even been made. The coming years are

łacu Kultury, od lat nie może doczekać się realizacji, wznosi się natomiast dziesiątki gmachów na terenach, które dotąd nie mają szczegółowych planów miejscowych zagospodarowania przestrzennego. Najbliższe lata mają ponoć radykalnie zmienić ten stan rzeczy.

Po kilkudziesięciu latach trudno wyobrazić sobie jak wyglądała Warszawa przedwojenna, a obecny wygląd Starego i Nowego Miasta wraz z Traktem Królewskim może wprowadzić w błąd niewprawnego obserwatora. Część za-

Zabudowa placu MDM.

Houses at the MDM square.

expected to bring about significant change in this state of affairs.

After all those decades, it is difficult to imagine how pre-war Warsaw really looked. The present appearance of Old Town and New Town, including the Royal Way, can lead an uninitiated contemporary observer astray. Some of the buildings look exactly as they did before the war, some have lost much of their former splendour, while others—on the contrary—have been rebuilt in a more splendid form than ever before.

bytków wygląda dokładnie tak jak przed wojną, niektóre utraciły wiele ze swego blasku, inne - na odwrót - odbudowano w formie świetniejszej niż wyglądały kiedykolwiek dawniej. Wiele ważnych obiektów zniknęło z panoramy miasta bezpowrotnie. Trudno jest dziś odróżnić budowlę autentyczną od zrekonstruowanej, a istnieje wiele domów, które zbudowano po wojnie w stylach historycznych, aby zapewnić właściwe tło dla poszczególnych, cennych zabytków.

W naszej skromnej publikacji nie sposób pokazać wszystkich tych zawiłości czasów Odbudowy. Stawiamy jednak sobie za cel unaocznienie Czytelnikowi różnych jej koncepcji, przez porównanie fotografii charakterystycznych fragmentów miasta - jak wyglądały w roku 1945 i jak wyglądają dziś.

Many important edifices have vanished from the city's landscape forever. Today it is difficult to distinguish between authentic and reconstructed architecture. Many buildings were built after the war in historic styles in order to provide the proper setting for individual, valuable monuments.

Our modest publication cannot portray all the complexities of the reconstruction period. Our objective is to demonstrate to the Reader its various, different schemes by comparing photographs of characteristic sections of the city as they appeared in 1945 and at present.

Rynek Starego Miasta

Fotografia zrobiona z dachu kamienicy "Pod Murzynkiem" pokazuje niemal całkowicie zburzone Strony Barssa i Zakrzewskiego. W głębi wylot ulicy Jezuickiej z dobrze widoczną fasadą XVIII-wiecznego "Gimnasium Zaluscianum", a w prawym górnym rogu - resztki murów Katedry.

Old Town Square

This photograph, taken from the roof of the House at the Sign of the Negro Boy, shows the all but totally demolished Barss Side and Zakrzewski Side. In the background is seen the entrance to Jezuicka Street with the well-preserved façade of the 18th-century "Gimnasium Zaluscianum"; in the upper-right corner are seen remnants of the cathedral walls.

Rekonstrukcja obu pierzei, mimo pewnych korekt, została przeprowadzona zgodnie ze stanem przedwojennym.

The reconstruction of both frontages, despite minor corrections, essentially restored their pre-war appearance.

Zrekonstruowana fasada kamienicy odzyskała swój dawny wygląd, uzyskany w efekcie XVIII-wiecznej przebudowy. Autentyczne mury parteru do dziś noszą ślady przestrzelin.

The rebuilt façade of the building was restored to the appearance it had following an 18th-century reconstruction. The authentic ground-floor walls still display bullet-holes.

Rynek Starego Miasta. Kamienica Fukierowska

Old Town Marketplace, Fukier House

Tyle pozostało z XV-wiecznej kamienicy, mieszczącej od 1810 roku słynną winiarnię Fukiera.

This is all that remained of the 15th-century structure that since 1810 had housed the famous Fukier Wine-Vault.

Widoczne po lewej resztki narożnego budynku to gotycko-renesansowa kamienica "Pod św. Anną Samotrzeć", jedna z najstarszych na Starym Mieście. Kamienice Strony Barssa, w większości XVI-XVII-wieczne, uniknęły wprawdzie bomb w czasie Powstania Warszawskiego, ale zostały spalone przez Niemców po jego upadku.

The remnants of the corner building seen at left was once the Gothic-Renaissance House of St Anne, one of the oldest in Old Town. The townhouses on the Brass Side, dating mainly from the 16th-17th centuries, managed to escape the bombs dropped during the Warsaw Uprising but were torched by the Groans after it was quashed.

Rynek Starego Miasta. Narożnik Strony Kołłątaja i Strony Dekerta
Old Town Marketplace. The corner of the Kołłątaj Side and the Dekert Side

Kamienice Baryczkowska i "Pod Murzynkiem", uwiecznione z prawej strony zdjęcia, jako jedyne na Starym Mieście zachowały częściowo autentyczne wnętrza z XVII i XVIII wieku, a druga z nich nawet przedwojenną polichromię elewacji.

The Barczyk Townhouse and the Townhouse at the Sign of the Negro Boy, see in the photo at right, are the only ones that have partially retained their authentic 17th and 18th-century interiors.

Bazylika Archikatedralna p.w. Ścięcia św. Jana Chrzciciela i kościół pojezuicki

Archcathedral Basilica of St John the Baptist and post-Jesuit Church

Katedra, konsekrowana w XIV wieku jako kościół parafialny, ulegała w swej niemal 700-letniej historii licznym przekształceniom. Swą przedwojenną, neogotycką szatę zawdzięczała przebudowom w l. 1837-42 (arch. Adam Idźkowski) i 1903 (arch. Hugo Kuder). Manierystyczno-barokowy kościół jezuitów wybudowano w latach 1609-26.

The cathedral, consecrated in the 14th century as a parish church, underwent many changes during its nearly 700-year history. It owed its pre-war neo-Gothic form to alterations carried out in 1837-1842 (architect Adam Idźkowski) and 1903 (architect Hugo Kuder). The manneristic Baroque Jesuit Church was built in 1609-1626.

O ile kościołowi pojezuickiemu przywrócono w zasadzie wygląd sprzed zniszczenia to Katedra wygląda dziś zupełnie inaczej. Kontrowersyjność koncepcji przywrócenia świątyni szaty średniowiecznej polega na braku jakichkolwiek przekazów dotyczących pierwotnego wyglądu fasady.

Whereas the post-Jesuit Church was essentially restored to look as it did before the war, the cathedral looks quite different. Restoring it in a mediaeval style was controversial because no accounts as to the appearance of its original façade have come down to us.

Katedra uległa zbombardowaniu już we wrześniu 1939 roku. Ciężkie walki we wnętrzu świątyni w czasie Powstania Warszawskiego przyczyniły się do dalszych zniszczeń. Neogotycka fasada Katedry i ocalały kościół pojezuicki zostały wysadzone w powietrze przez Niemców w grudniu 1944 roku.

The cathedral was bombed in September 1939. Fierce fighting inside the cathedral during the Warsaw Uprising caused its further devastation. The cathedral's neo-Gothic façade and the surviving post-Jesuit Church were blown up by the Germans in December 1944.

Ulica Piwna

Z panoramy spalonej i zburzonej ulicy, zabudowanej niegdyś głównie domami XVIII-wiecznymi, znikł zrównany z ziemią kościół św. Marcina, którego historia sięga XIV stulecia.

Piwna Street

From the panorama of the burnt and demolished street, originally lined mainly by 18th-century structures. The Church of St Martin vanished entirely, having been levelled to the ground. It dates from the 14th century.

Przy odbudowie ulicy często odbiegano od stanu budowli sprzed zniszczeń. Obok autentycznych, 200-letnich fasad, spotykamy elewacje całkowicie różne od istniejących tu przed wojną, choć utrzymane w klimacie XVIII stulecia. Kościół, w przeciwieństwie do zabudowy mieszczańskiej, zrekonstruowano bardzo starannie.

During the rebuilding of this street, departures were frequently made from its pre-war appearance. In addition to authentic 200-year-old façades, one encounters some which completely differ from those existing before the war, although generally reflecting an 18th-century climate. Unlike the burgher houses, the church was painstakingly reconstructed.

Kolumna Zygmunta i Zamek Królewski

Kolumnę z pomnikiem króla Zygmunta III Wazy wzniósł jego syn Władysław IV w roku 1644. W styczniu 1945 roku została zwalona na bruk przez Niemców. Nieco wcześniej wysadzono w powietrze Zamek Królewski, wypalony już w 1939 roku. Zamek, od XIV wieku siedziba książąt mazowieckich, następnie rezydencja królów i siedziba parlamentu Rzeczypospolitej, był przez stulecia symbolem polskiej państwowości.

King Zygmunt Column and the Royal Castle

The column bearing a statue of King Zygmunt III Vasa was erected by his son, King Władysław IV, in 1644. In January 1945, it was toppled to the ground by the Germans. Somewhat earlier, the Royal Castle, which had been gutted by fire in 1939, was blown up. The castle began as the seat of the Princes of Masovia in the 14th century, and subsequently was the royal residence and the seat of parliament. For centuries, therefore, it had symbolised Polish statehood.

Rekonstrukcję Zamku ukończono dopiero przed kilku laty, wykorzystując tysiące uratowanych podczas wojny fragmentów detalu i wyposażenia. Przy odbudowie wyeksponowano główne fazy przebudów w XV, XVII i XVIII wieku, oraz odtworzono całe ciągi reprezentacyjnych pomieszczeń.

The Castle's restoration was completed only several years ago, and thousands of rescued elements and fittings were incorporated in the reconstruction project. During reconstruction, the principal phases of alterations effected in the 15th, 17th and 18th centuries were highlighted, and countless royal chambers and suites were meticulously restored to their former splendour.

Ulica Podwale i mury obronne Starego Miasta

Podwale Street and the Old Town's defensive walls

Ciąg murów obronnych Starówki, pochodzących z XIV i XV wieku, zniknął z biegiem stuleci, szczelnie obudowany kamienicami. Dopiero w latach 1937-38 odsłonięto fragmenty obwarowań w pobliżu Barbakanu, którego resztki nadal tkwiły w ścianach XVIII-wiecznych domów. Zabudowa ulicy uległa wielkim zniszczeniom w 1939 i 1944 roku, podczas gdy zakonserwowane odcinki murów przetrwały bez większych uszczerbków.

The 14th and 15th-century defensive walls encircling Old Town gradually disappeared over the years, having been densely built over with townhouses. It as not until 1937-1938 that a fragment of the old fortifications, whose remnants had been imbedded in the walls of surrounding 18th-century buildings near the Barbican, were exposed. The buildings in Podwale Street were largely destroyed in 1939 and 1944, while the conserved fragments of the old fortified walls survived nearly intact.

Wykorzystując fakt zburzenia większości domów na Podwalu, zdecydowano się na radykalny zabieg odsłonięcia całości nieźle zachowanych obwarowań. Tam gdzie przed wojną stał zwarty szereg kamienic, ciągnie się dziś fosa podmurna.

Since most of the houses lining Podwale Street lay in ruins, a radical move was decided to expose all the fairly-well preserved defensive walls. Where a row of townhouses had stretched along the street before the Second World War, today one can see a moat running along the old town walls.

Kościół św. Jacka

Z XVII-wiecznej świątyni zakonu Dominika-
nów przy ul. Freta ocalała po bombardowaniu jedynie fasada z dzwonnicą. We wnętrzu kościoła,
mieszczącego w czasie Powstania szpital polowy,
zginęło kilkuset rannych i chorych pacjentów.

Church of St Hyacinth

*The façade and bell-tower were the only frag-
ments of the Dominican Church in Freta Street
that survived the bombardment. Several hundred
wounded and sick died inside the church when it
served as a field hospital during the Warsaw
Uprising.*

Kościół św. Jacka doczekał się starannej odbudowy, szkoda tylko, że przy okazji rozebrano stojące przed nim neogotyckie kramy z 1820 roku, uznane pochopnie za niezabytkowe.

The Church of St Hyacinth was meticulously restored. It is only a shame that the neo-Gothic market stalls dating from 1820 were demolished, having been rashly acknowledged as non-historic.

Rynek Nowego Miasta

New Town Marketplace

Widoczny na zdjęciu barokowy kościół św. Kazimierza, wzniesiony w l. 1688-92 przez Tylmana van Gameren był pomnikiem zwycięstwa oręża polskiego podczas odsieczy Wiednia (1683). Także tu mieścił się w 1944 roku szpital powstańczy. Jedna, celna bomba pozbawiła życia ok. 1000 ludzi.

Seen here is the Baroque Church of St Casimir, erected in 1688-1692 by Tylman van Gameren as a monument to the Polish army's heroic defence of Vienna against the Turks (1683). In 1944, it housed a field hospital. One well-aimed bombed killed about 1,000 people in a single stroke.

Wschodniej pierzei Rynku jako jedynej przywrócono wygląd zbliżony do stanu sprzed zniszczeń. Nie odbudowano niestety XVII-wiecznego pałacu Kotowskich, stojącego na tyłach kościoła. Pozostała zabudowa rynkowa w niczym nie przypomina przedwojennej, zdominowanej przez wielopiętrowe kamienice z początku XX wieku.

The Eastern Frontage of the Marketplace was the only one restored to look much as it did before the war-time destruction. Unfortunately, the 17th-century Kotowski Palace, standing in back of the church, was not rebuilt. The marketplace's remaining architecture in no wise resembles its pre-war state and is dominated by early-20th-century, multi-storeyed tenements.

Pl. Krasińskich i ulica Długa

Krasiński Square and Długa Street.

Widoczna na pierwszym planie studnia, została wystawiona w 1823 roku. Postrzelana fasada w głębi należy do XVIII-wiecznego kościoła popaulińskiego, obok którego, na rogu ulicy Miodowej, widnieją zwaliska budynku klasztornego i gmachu Collegium Nobilium - szkoły prowadzonej przez Pijarów od 1754 roku.

Seen in a foreground is a well built in 1823. The shell-scarred façade in the background is that of an 18th-century post-Piarist church. Next to it, at the corner of Miodowa Street, are the ruins of a monastery building and the edifice of Collegium Nobilium, a school run by the Piarist Order since 1754.

Tylko ta strona placu doczekała się po wojnie pełnej odbudowy. W pozostałych pierzejach rozebrano większość ruin, na miejscu których do dziś nic nie wybudowano.

Only this side of the square was fully restored after the war. The ruins of most of the remaining frontages were demolished and the building of High Court of Justice is under the construction.

Plac Krasińskich

Główną ozdobą placu Krasińskich był wspaniały barokowy pałac Jana D. Krasińskiego, wzniesiony w l. 1683-95 przez Tylmana z Gameren. Do 1939 r. w budowli tej oraz w sąsiednim pałacu Badenich mieściły się najważniejsze instytucje sądowe II Rzeczypospolitej. Zabudowa ta została bardzo zniszczona podczas walk w 1944 r.

Krasiński Square

The Baroque Jan D. Krasiński palace built in the years 1683-1695 by Tylman of Gameren used to be the principal decoration of the Krasiński square. The palace and adjacent Badeni palace used to house the highest courts of law in the Second Republic of Poland until 1939. The buildings were heavily damaged in 1944.

Po 1945 r. odbudowano tylko główny korpus pałacu Krasińskich, rozbierając nieźle zachowane mury jego oficyny oraz cały pałac Badenich. Po wyburzeniu resztek kamienicy po drugiej stronie placu ten ostatni przestał właściwie istnieć. Wybudowanie pomnika Powstania Warszawskiego (1989 r.) oraz nowego gmachu Sądów (1999 r.) przywróciło wprawdzie plac do życia wraz z jego najważniejszą tradycyjną funkcją, ale nowe obiekty do dziś budzą u warszawian mieszane uczucia.

After 1945, only the main part of the Krasiński palace was re-constructed and all that remained of the other segments and the entire Badeni palace was demolished. When the last building on the opposite side of the square was knocked down too, the square practically ceased to exist. The construction in 1989 of the monument to the 1944 Warsaw Uprising and of the new court building in 1999, brought the square and its principal historical function back to life but not all Warsaw residents are happy with the new buildings until today.

Arsenał odbudowano do 1950 r., a dziesięć lat później przeznaczono na siedzibę Muzeum Archeologicznego. Wprowadzono pewne zmiany, głównie w partii wystroju, który nawiązuje obecnie do różnych faz budowlanych w dziejach gmachu.

The Arsenal was re-constructed by 1950 and ten years after, the Archaeological Museum was moved to its buildings. Some improvements were introduced, mainly in the interior arrangement which now featues building styles of various phases in its history.

Arsenał Królewski
Royal Arsenal

Arsenał Królewski wybudowany został w l. 1638-43 przez generała artylerii Pawła Grodzickiego. Od 1832 r. pełnił funkcje więzienia, a od 1938 r. – Archiwum Miejskiego. W 1944 r. gmach został spalony przez Niemców wraz z bezcennymi archiwaliami.

The Royal Arsenal was built in the years 1638-1643 by artillery general Paweł Grodzicki. After 1832, it was used as a prison and after 1938 it housed the City Archives. The building and all its priceless archives were burnt by the Germans in 1944.

Współczesny most Śląsko-Dąbrowski, ma zupełnie odmienny wygląd ale wspiera się na zachowanych filarach poczciwego "Kierbedziaka".

The present Silesian-Dąbrowa Bridge has a totally different appearance but rests on the solid pillars of the old Kierbedź Bridge.

Most Kierbedzia - Most Śląsko-Dąbrowski
The New Approach - the East-West Thoroughfare

Most, wzniesiony w 1864 roku przez inż. Stanisława Kierbedzia, był pierwszym nowoczesnym mostem stałym w Warszawie. Wyleciał w powietrze wraz z wszystkimi stołecznymi mostami we wrześniu 1944 roku.

This bridge, built by engineer Stanisław Kierbedź in 1864, was Warsaw's first modern, permanent bridge. It was blown up, together with all of Warsaw's bridges, in September 1944.

Getto - dzielnica "Muranów"

Utworzona przez Niemców dzielnica żydowska została zrównana z ziemią po powstaniu w Getcie w 1943 roku. Na środku pustyni zmielonych wybuchami gruzów Niemcy pozostawili - jako "aryjski" - kościół św. Augustyna przy ul. Nowolipki.

The Ghetto -- Muranów District

The Jewish quarter created by the Germans was levelled to the ground following the Ghetto Uprising of 1943. At the centre of a wasteland of rubble, ground to a pulp by numerous detonations, the Germans left St Augustine's Church in Nowolipki Street as an "Aryan" structure.

Wybudowana na początku lat pięćdziesiątych dzielnica mieszkaniowa "Muranów" stanęła wprost na nasypach utworzonych z gruzów Getta. Jeszcze dziś pękają tu mury i osuwa się ziemia...

The Muranów housing district was built in the early 1950s directly on top of the levelled rubble of the former ghetto. To this day, the walls of those buildings keep cracking as the rubble ground-fill continues to settle....

Pomnik Bohaterów Getta

W 1948 r. przy ul. Zamenhoffa odsłonięto pomnik Bohaterów Getta (proj. N. Rappaport i L. Suzin), którego tło stanowiły usypiska gruzu doszczętnie zburzonej dzielnicy żydowskiej.

Monument to the Ghetto Heroes

A monument to the Ghetto Heroes (designed by N. Rappaport and L. Suzin) was unveiled in Zamenhoffa street in 1948 with rubble heaps of flattened Jewish quarter in the monument's background.

Obecne otoczenie pomnika w niczym nie przypomina ani stanu przedwojennego, ani zastanego po wojnie, ale zabudowie, wzniesionej głównie w latach 60. XX w., daleko miana wielkomiejskiej, odpowiedniej dla centrum europejskiej stolicy.

Today's surrounding of the monument is totally different than it was before and shortly after the war, but its skyline, shaped by houses built in the 1960s, is also far from one typical of a big European capital town.

Panorama Starego Miasta od strony Krakowskiego Przedmieścia

Z 650-letniego zespołu Starego Miasta została bezkształtna kupa gruzów. Widoczne po prawej mury należą do dzwonnicy kościoła św. Anny i nieistniejącej obecnie XVIII-wiecznej kamienicy.

Old Town panorama as seen from Krakowskie Przedmieście

A shapeless mass of ruins was all that remained of the 650-year-old Old Town complex. The walls seen at right are those of the bell-tower of St Anne's Church and a now non-existent 18th-century townhouse.

Zachowane fasady widocznych z lewej strony kamienic, pochodzących z XVII i XVIII wieku, w większości rozebrano podczas budowy Trasy W-Z, a następnie dość dokładnie zrekonstruowano.

The surviving façades of the 17th and 18th-century buildings seen at left were largely demolished during construction of the E-W Thoroughfare and subsequently rather meticulously rebuilt.

Krakowskie Przedmieście

Wśród ruin XVIII-wiecznych kamieniczek dominowały mury wielkich czynszówek z przełomu XIX i XX wieku. Na pierwszym planie widoczna jest kamienica z 1884 roku, należąca niegdyś do "Zakładów Żyrardowskich Hille & Dietrich".

Krakowskie Przedmieście Street

The walls of big 19th and 20th-century tenements predominated among the ruins of the 18th-century townhouses. Seen in the foreground is a townhouse built in 1884 and once belonging to the Hille & Dietrich Textile Works of Żyrardów.

Po wojnie rozebrano bądź gruntownie przebudowano wszystkie wielkomiejskie kamienice. Usunięto także w całości, XIX-wieczne wystroje z zachowanych elewacji, nadając całemu zespołowi pozory architektury XVIII-wiecznej, z pseudoklasycystycznym detalem i sztucznie wyrównanym gabarytem.

After the war, all the newer tenements were either demolished or completely altered. All the surviving 19th-century façade decorations were also entirely obliterated. The entire complex was given an 18th-century appearance featuring pseudo-classical details and artificially equalised dimensions.

Podczas budowy tunelu Trasy W-Z udało się uratować większość murów kamienicy. Dom odbudowano do 1949 roku, z zewnątrz przywracając mu w całości wygląd z II poł. XVIII w. Było to możliwe dzięki utrwaleniu jego wizerunku na fotograficznie wiernych wedutach pędzla Bernarda Bellotta, zw. Canalettem.

Most of the houses walls were successfully saved from damage during the construction of the W-Z road. The house was fully rebuilt by 1949 when the conservators restored it to the style of the second half of 18th century. It was possible owing to photo-quality paintings by Bernardo Bellotto, known as Canaletto.

Kamienica Prażmowskich
The Prażmowski House

Kamienica Prażmowskich, przebudowana w 1754 roku dla rodziny Leszczyńskich przez Jakuba Fontanę, mimo kilku, nie zawsze najszczęśliwszych przebudów, należała przed 1939 roku do najpiękniejszych kamienic na Krakowskim Przedmieściu. Po 1944 roku zachowała wypalone mury wraz z rokokową dekoracją.

The Prażmowski house, refurbished by Jakub Fontana for the Leszczyński family, was one of the most beautiful houses in the Krakowskie Przedmieście Avenue before 1939, despite several modifications which changed its style. After 1944, the house was a burnt shell with surviving Rococo ornaments on it.

Odbudowane kamieniczki zrównano wysokością i znacznie zubożono ich szatę stylową.

The rebuilt townhouses were made equal in height and considerably stripped of their stylistic embellishments.

Krakowskie Przedmieście.

Mimo zniszczeń wyraźnie widoczne jest stylistyczne i gabarytowe zróżnicowanie dawnej zabudowy ulicy.

In spite of the destruction, the pre-war street's differentiation in terms of style and dimensions can be clearly seen.

Ratusz na Placu Teatralnym

Przedwojenny ratusz warszawski na pl. Teatralnym powstał w l. 1768-1785 jako barokowy pałac Jabłonowskich (proj. Jakub Fontana i Dominik Merlini). Na siedzibę warszawskiego magistratu adaptowano go w 1817 r., burząc jednocześnie średniowieczny ratusz na Rynku Starego Miasta. Rozbudowany został w l. 1865-1869 (proj. Rafał Krajewski i Józef Orłowski). Z tego czasu pochodziły wysokie dachy, wieża i skrzydło biurowe po jej lewej stronie.

Town Hall at Teatralny Square

Warsaw's pre-war Town Hall at the Teatralny Square was built in the period 1768-1785 as a Baroque Jabłonowski palace (designed by Jakub Fontana and Dominik Merlini). It was converted into the seat of Warsaw's city authorities in 1817 and then the medieval Town Hall at the Old Town Market Square was demolished. The Building was expanded in the years 1865-1869 (construction design by Rafał Krajewski and Józef Orłowski). At that time, the building received its tall roofs, a tower, and an office annex on the left side.

Podczas powstania warszawskiego w 1944 r. ratusz spłonął i został częściowo zburzony, nadawał się jednak do odbudowy. Niechęć władz komunistycznych do tego symbolu niezawisłości warszawskiego samorządu doprowadziła jednak do zburzenia ruin w roku 1954, pod pretekstem odsłonięcia widoku z Trasy W-Z na przeciwległy Teatr Wielki.

The Town Hall was burnt and heavily damaged during the 1944 Warsaw Uprising but its condition was still good enough for re-construction. However, the communist rulers with their aversion to the building which they considered a symbol of independence of the Warsaw local authorities, preferred to have the ruins levelled in 1954 for whi9ch they used a pretext that when re-built, it would obscure the view from the new W-Z road on the Grand Theatre on the opposite side of the square.

W 1997 r. dawny ratusz został zrekonstruowany wraz z innymi uprzednio zniszczonymi budynkami północnej pierzei placu. Odbudowa w historycznej postaci objęła niestety tylko fasady, których trzon odlano z betonu. Za elewacjami „ratusza" skryły się gmachy banków, utrzymane w nowoczesnych, ale banalnych formach, rażące utylitarnym wyglądem wnętrz. Sposób odbudowy i obecna funkcja budowli wzbudziła wiele kontrowersji w opinii publicznej.

The Town Hall building was re-erected in 1997 together with the other buildings along the northern side of the square. But the building's historical shapes were restored only facade-deep using concrete casts. Behind the facades are banks housed by high tech but ordinary-shaped buildings with rather utilitarian interiors. The re-construction methods and the present function of the building used to be controversial for public opinion.

Nowy Świat

Nowy Świat Street

Kontrasty zabudowy były tu jeszcze większe niż na Krakowskim Przedmieściu. Ulica została niemal całkowicie zniszczona w 1939 i 1944 roku.

The architectural contrasts here were even greater than those of Krakowskie Przedmieście. The street was all but entirely destroyed in 1939 and 1944.

Podczas odbudowy przyjęto za obowiązujący gabaryt dwóch pięter, obniżając niektóre domy aż o 3 kondygnacje, w myśl idei przywrócenia ulicy wyglądu z początków XIX wieku. Niegdyś wielkomiejski Nowy Świat ma obecnie charakter zdecydowanie prowincjonalny...

During the reconstruction, a height of two storeys was adopted as the norm. That meant that some buildings were shortened by all of three storeys in an attempt to restore the street's early-19th century appearance. Once a big-city street, today Nowy Świat conveys a clearly provincial image...

Dzięki zachowaniu fasad i "przepisowemu" gabarytowi kamieniczki odbudowano bez większych zmian ale hotel "Savoy" zniknął z panoramy ulicy.

As a result of the principle of preserving former façades and standardising heights, most of the rowhouses were rebuilt without any major changes, but the Hotel Savoy vanished from Nowy Świat without a trace.

Nowy Świat
Nowy Świat Street

Widoczna na fotografii grupa wypalonych kamieniczek tworzyła przed wojną jedną z nielicznych enklaw autentycznej zabudowy z początku XIX wieku. W głębi widoczna wyniosła ściana szczytowa secesyjnego hotelu "Savoy".

This complex of flame-gutted tenements before the war had comprised one of the few enclaves of authentic early-19th-century architecture. Seen in the background are the jutting walls of the Secession-style Hotel Savoy.

Kościół św. Aleksandra
St. Alexander's Church

Klasycystyczny kościół św. Aleksandra na pl. Trzech Krzyży, nawiązujący kształtem do rzymskiego Panteonu, ukończono w 1825 r. na podstawie projektu Jakuba Kubickiego. W końcu XIX w. świątynię znacznie powiększył i przebudował Józef P. Dziekoński. Legła ona w gruzach trafiona bombami niemieckich „Stukasów" we wrześniu 1944 r.

The shape of the classicistic St. Alexander's Church at the Three Crosses Square refers to Rome's Pantheon. Its construction, according to blueprints by Jakub Kubicki, was finished in 1825. The church was expanded and re-arranged by Józef P. Dziekoński at the end of the 19th century. It was turned into rubble by bombs thrown by German Stukas; planes in September 1944.

Podczas odbudowy (1949-50) świątyni przywrócono formę zbliżoną do pierwotnej, zachowując wszakże powiększony przez Dziekońskiego kościół dolny (podziemny) oraz zachowane resztki wystroju i wyposażenia wnętrza z epoki przebudowy.

During the church's re-construction (1949-1950), the architects restored its shape close to the original design plus Dziekoński's lower church (in the basement) and all that remained from the interior decorations and outfit.

Most Poniatowskiego

Najpiękniejszy spośród starych warszawskich mostów, zwany dziś mostem ks. Józefa Poniatowskiego, ukończony został w 1913 r. Swą efektowną oprawę plastyczną zawdzięczał Stefanowi Szyllerowi, jednemu z najbardziej ówcześnie znanych warszawskich architektów. Już dwa lata później ustępujący przed wojskami niemieckimi Rosjanie wysadzili most w powietrze. Powtórnie, i niestety znacznie bardziej dokładnie, uczynili to Niemcy w 1944 r.

Poniatowski Bridge

The nicest of Warsaw's old bridges known as the Prince Józef Poniatowski Bridge was built in 1913. Its stylish appearance was designed by Stefan Szyller, one of the most prominent Warsaw architects at the time. Only two years after the construction, Russian troops fleeing from the Germans blew the bridge up. The bridge was destroyed for the second time, much more completely, by the Germans in 1944.

Po uwolnieniu miasta spod okupacji odbudowę mostu podjęto w takim pośpiechu, że doszło do katastrofy budowlanej. Ostatecznie prace zakończono w lipcu 1946 r., przy czym w części zrekonstruowanej od podstaw zrezygnowano niestety z odtworzenia wystroju architektonicznego.

When the city was free again, the reconstruction of the bridge was done in such a haste that it ended in a construction catastrophe. The work was eventually finished in July 1946 but the builders gave up restoring all the architectural details on the parts which were re-built from scratch.

Zamek Ujazdowski.

Wzniesiony jako rezydencja króla Władysława IV w l. 1624-1637, wielokrotnie przekształcany, pełnił przez ostatnie 130 lat funkcję szpitala wojskowego. W roku 1944 został spalony przez niemieckie "Vernichtungskommando".

Ujazdów Castle.

Erected as the royal residence of King Władysław IV in 1624-1637, Ujazdów Castle over the years it had undergone frequent transformations. For 130 years it had served as a military hospital. In 1944 it was burnt down to the ground by the German "Vernichtungskommando".

Dobrze zachowane mury zamku rozebrano do fundamentów na rozkaz władz wojskowych, w roku 1953. Zamierzano wybudować tu teatr Wojska Polskiego, do czego na szczęście nie doszło. Zamek zrekonstruowano w latach siedemdziesiątych, przywracając mu wygląd zbliżony do pierwotnego.

The castle's well-preserved walls were demolished down to their foundations on orders from the Communist military authorities in 1953. Plans were drawn up to establish a Polish Army theatre at the site, but fortunately they never materialised. The castle was restored in the 1970s to closely resemble the way it looked originally.

Pałac Saski - Grób Nieznanego Żołnierza.

Saxon Palace - The Tomb of the Unknown Soldier.

Budowla powstała w końcu XVII wieku ale swą ostateczną postać uzyskała w 1842 roku, przebudowana przez Wacława Ritschla i Adama Idźikowskiego. W roku 1923 przed kolumnadą pałacową ustawiono rewindykowany z Rosji pomnik ks. Józefa Poniatowskiego, a w dwa lata później umieszczono pod arkadami Grób Nieznanego Żołnierza..

This edifice was erected towards the end of the 17th century but received its final form in 1842, when it was altered by Wacław Ritschl and Adam Idźkowski. In 1923 the Prince Józef Poniatowski monument, regained from the Russians, was placed in front of the palace's colonnade. Two years later, the Tomb of the Unknown Soldier was enshrined beneath its arcades.

Ten właśnie fragment jest dziś jedynym śladem monumentalnej architektury pałacowej na placu Piłsudskiego. Jego funkcja nie uległa zmianie. Zrekonstruowany pomnik ks. Józefa stoi na Krakowskim Przedmieściu.

That surviving fragment is today the only trace of the monumental palatial architecture that once graced Piłsudski Square. Its function has not changed. The reconstructed Prince Józef Poniatowski monument stands in Krakowskie Przedmieście.

Pałac został wysadzony w powietrze przez Niemców w listopadzie 1944 roku. Dziwnym trafem przetrwał fragment arkad mieszczących Grób Nieznanego Żołnierza.

The palace was blown up by the Germans in November 1944. By some strange coincidence, only the fragment containing the Tomb of the Unknown Soldier survived. the explosion.

Dawny "Prudential" - obecny hotel "Warszawa"

The former Prudential Building - today's Hotel Warszawa

Najwyższy gmach przedwojennej Warszawy ukończono w 1933 roku według projektu Marcina Weinfelda. Stalowa konstrukcja wieżowca, projektowana przez prof. Stefana Bryłę, okazała się tak mocna, że wytrzymała nawet trafienie najcięższym, 610-mm pociskiem z niemieckiego supermoździerza "Karl".

Pre-war Warsaw's tallest building was completed in 1933 according to a design by Marcin Weinfeld. The skyscraper's steel construction, designed by Prof. Stefan Bryła, was so strong that it even endured a shelling by the Germans' heaviest 610-millimetre super-mortar Karl.

Podczas powojennej odbudowy Weinfeld oszpecił swe dzieło, dekorując gmach obfitym detalem w duchu socrealizmu. Dziś mieści się tu hotel "Warszawa".

During post-war reconstruction, Weinfeld disfigured his creation by decorating the building with abundant socialist-realist details. Today the building serves as Hotel Warszawa.

Ruina gmachu PKO straszyła aż do lat sześćdziesiątych i ustąpiła zabudowie tzw. "Ściany Wschodniej". Obie, znacznie poszerzone ulice, w niczym nie przypominają swego przedwojennego wyglądu.

The ruins of the PKO building had been an eye-sore until the 1960s, when they finally gave way to the East Wall building project. Both considerably widened streets bear no resemblance to their pre-war appearance.

Ulica Świętokrzyska.
Świętokrzyska Street.

Pośród ruin domów mieszkalnych widoczny jest, trafiony ciężką bombą, nowoczesny gmach, stojący na rogu Marszałkowskiej. Wzniesiony w 1939 roku przez Bolesława Szmidta, należał do Pocztowej Kasy Oszczędności.

Among the ruins of blocks of flats is seen a modern building that had been hit by a heavy bomb. Situated at the corner of Marszałkowska, it was built in 1939 by Bolesław Szmidt and belonged to the Postal Savings Bank (PKO).

Na miejscu dworca wybudowano pawilony wejściowe stacji kolejki podmiejskiej "Warszawa-Śródmieście" ale uwagę przyciąga przede wszystkim kuriozalna sylwetka Pałacu Kultury i Nauki, "pomnika" epoki stalinowskiej.

On the site of the former Main Train Station, an entrance pavilion to the City Centre Station of the electric suburban railway was built, but it is the Palace of Culture, that gigantic, grotesque memento of the Stalin era, that captures one's attention.

Dworzec Główny - Dworzec "Śródmieście"
Main Railway Station - City Centre Station

Zaprojektowany przez Czesława Przybylskiego i budowany aż do wybuchu wojny gmach, był ówcześnie najnowocześniejszym dworcem kolejowym w Europie.

Designed by Czesław Przybylski and built right up to the outbreak of World War Two, it was Europe's most modern railway station of its time.